**Arturo Cu**



# Tequila

## del cielo a la tierra

petra ediciones

Primera edición, 2005
D. R. © Petra Ediciones, S. A. de C. V.
Maurice Baring 389-4
Jardines Universidad
45110 Zapopan, Jalisco
petra@cybercable.net.mx



Corrección de estilo: Alicia Zúñiga

ISBN 968-6445-45-5

Impreso y hecho en México

Océano Pacífico
Montaña Tequila
Volcán de Fuego
Nevado de Colima
Nevado de Toluca

**México** es un territorio con paisajes diversos: tiene en el norte un desierto con dos antiguas sierras madres, la occidental y la oriental; en el sur, selvas sobre nuevas planicies que emergieron del mar; y en el centro, un cinturón de recientes volcanes que separa a los dos océanos más grandes del mundo: el Pacífico y el Atlántico.

# volcanes y montañas

De Guadalajara
a Tepic

Hay volcanes de diversas alturas y formas: lomas, cerros y montañas, la mayoría cubiertos con bosques donde brotan nacimientos de agua que forman arroyos y alimentan lagos. En algunas elevaciones de gran altura se cubren sus cimas con nieve y hielo durante el invierno.

Los volcanes de México tienen su lugar en la historia. Un volcán de los más valorados es la montaña que se encuentra en el centro de Jalisco: Tequila.

# nacimiento de la montaña

La montaña **Tequila** nació como volcán hace 200 000 años, cuando no había séres humanos que presenciaran sus erupciones; sólo los ojos del mamut y del dientes de sable vieron como Tequila arrojaba cenizas, vapor de agua, espuma y lava provenientes de la profundidad de la corteza, que poco a poco fueron acumulándose y construyeron la montaña.

La juventud del volcán fue de gran actividad.

El dientes de sable existió desde hace 300 000 a 15 000 años.

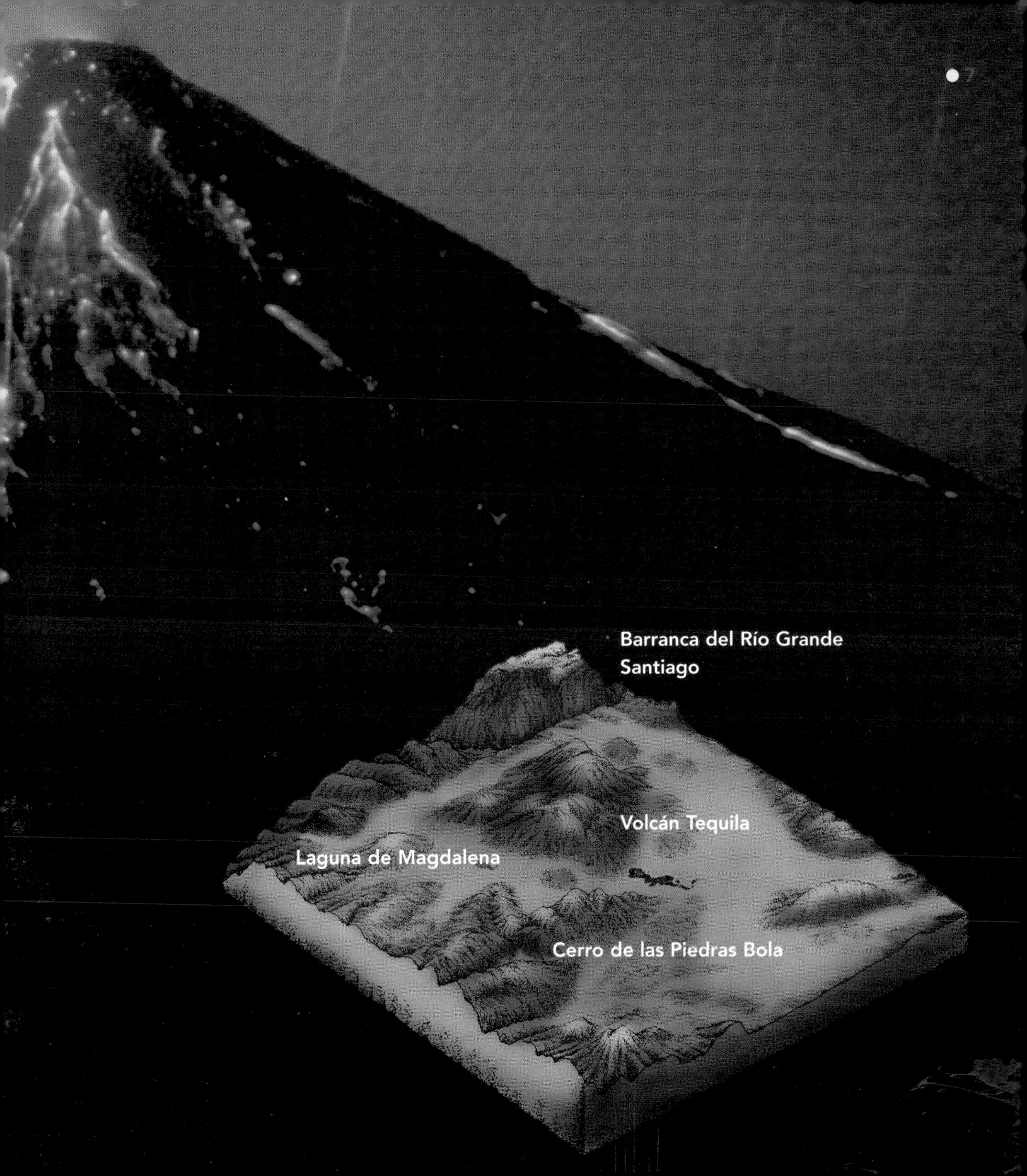

Barranca del Río Grande Santiago

Volcán Tequila

Laguna de Magdalena

Cerro de las Piedras Bola

# la aguja del volcán

Cuando el volcán llegó a viejo, cesó su actividad formándose un tapón en la parte superior. Se enfrió todo el material acumulado a lo largo de la chimenea por donde salía la lava.

Con las lluvias, el cráter del volcán se fue erosionando y dejó al descubierto en su cara oriente una enorme aguja formada de lava que se enfrió dentro del volcán. Esta aguja se ilumina con la luz del sol que nace cada mañana.

hace 200 000 años
hace 100 000 años
actualmente

# el inframundo

Los volcanes y lagos son parte de la identidad y de la historia cultural de México y Mesoamérica.

Los primeros pobladores de Tequila formaron parte de la sabiduría mesoamericana que consideraba que el mundo tenía tres niveles: el inframundo, lo terrestre y lo celeste.

El inframundo, o primer nivel, representa el origen, todo lo que se encuentra bajo la superficie de la Tierra: arcilla, roca, magma.

En el inframundo no pasa la luz, sólo el agua de la lluvia, y es el lugar de origen de todas las formas vivas que crecen en el continente. Es el lugar a donde regresa todo ser cuando muere.

Las plantas que alimentan a los seres que se arrastran, caminan o vuelan, germinan y crecen sus raíces en el suelo o el inframundo.

# regreso al vientre materno

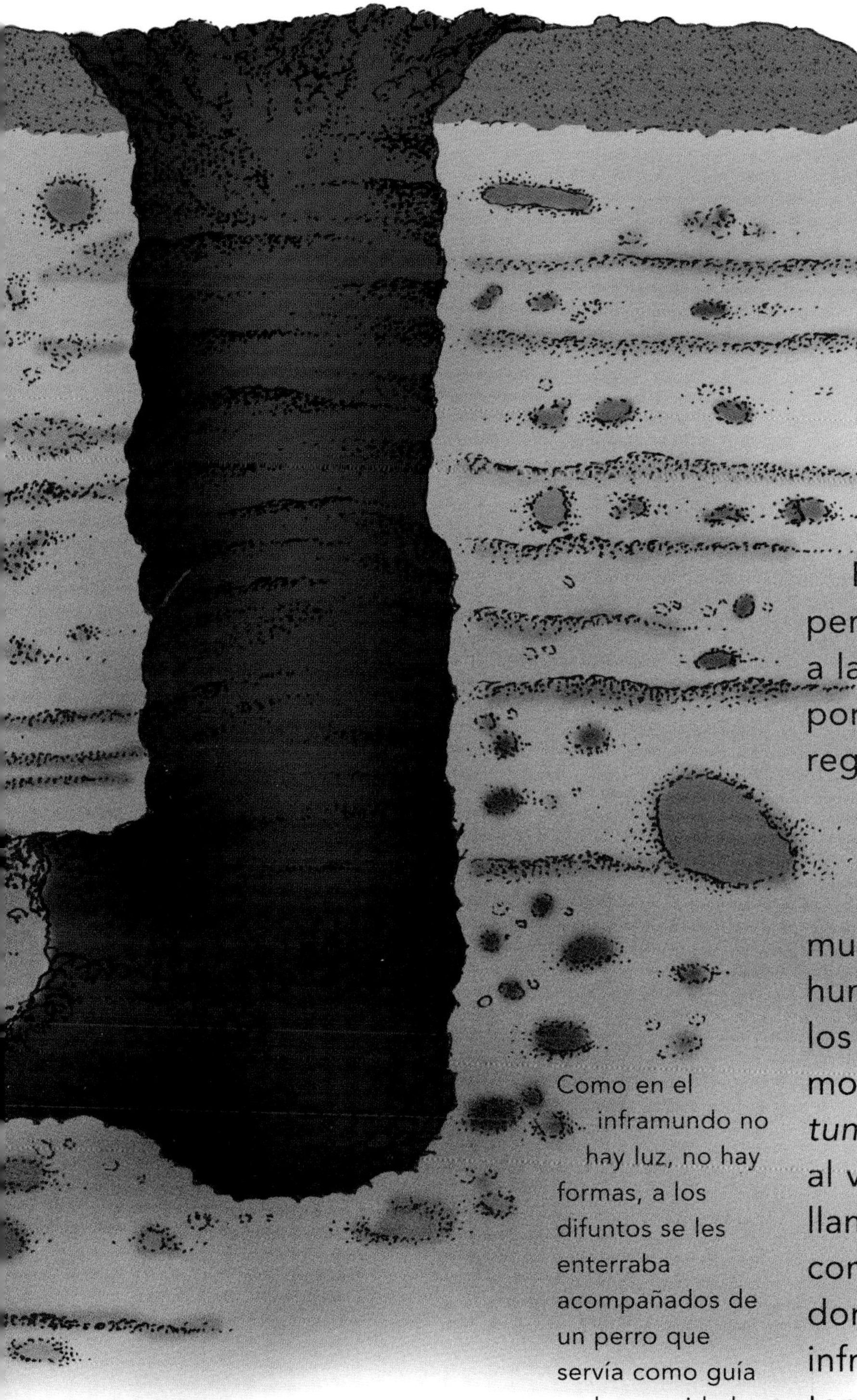

Por ello, cuando una persona fallece la regresan a la tierra; la entierran porque es una forma de regresarla al origen.

La forma como enterraban a sus muertos los antiguos humanos que habitaron los alrededores de la montaña Tequila, era en *tumbas de tiro* que semejan al vientre materno. Se llaman de tiro porque construían un tiro o túnel donde se conecta el inframundo con lo terrestre.

Como en el inframundo no hay luz, no hay formas, a los difuntos se les enterraba acompañados de un perro que servía como guía en la oscuridad.

# rocas negras, suelos rojos

Los suelos en Tequila son arcillosos de color rojo. Éstos han tenido como origen rocas de lava oscuras que arrojó el volcán y se enfriaron bajo la luz del sol. Son rocas que se desintegraron en arenas y pasaron por una descomposición mineral con la lluvia formando el barro.

Las suelos rojos fueron muy apreciados por su color, pues significa vigor.

La formación del suelo es un proceso muy largo en el tiempo. En Tequila, para formarse una capa de un centímetro de suelo, se necesitaron 100 años, que es lo que vive una persona longeva.

El color rojo en la arcilla se debe a la presencia de hierro, que es el mismo elemento que da el color rojo a la sangre.

Con esta arcilla o barro los antiguos hacían sus vasijas y figuras relacionadas con su vida cotidiana alrededor del volcán, inspirada en sus cultos y creencias.

Hay otros nombres en Jalisco asociados a volcanes y sus productos:

Jalisco, del jal, piedra pómez o arena de pómez.

Tlajomulco, lugar entre cerros volcánicos.

Tepatitlán, lugar de suelos rojos.

# “lugar en que se corta”



Una roca muy apreciada en Tequila es la obsidiana, que es un vidrio volcánico oscuro que se originó cuando la lava se enfrió muy rápido al entrar en contacto con el agua.

La obsidiana corta muy fácilmente, por lo que los antiguos la usaban como navajas, raspadores de piel y flechas.

La obsidiana está asociada con el nombre de Tequila, pues significa “lugar en que se corta”.

# lo terrestre

La cultura mesoamericana consideraba como segundo nivel del mundo lo terrestre, arriba del inframundo. Lo terrestre está caracterizado por la diversidad de formas de vida: animales y vegetales.

Las formas de vida varían con el clima. En las montañas hay diversidad de climas, y por lo tanto una gran biodiversidad. En la montaña Tequila, conforme se asciende, la temperatura disminuye y eso modifica las condiciones de humedad: de tropical en la parte baja a templado en la parte superior.

# biodiversidad

En las laderas del volcán Tequila han pisado y dejado su huella el dientes de sable, el lobo y el jaguar. Hoy están las huellas de aves (águilas, correcaminos, carpinteros), mamíferos (venados, coyotes, pumas), reptiles (serpiente de cascabel), hongos y plantas (nopales, tepeguajes, juníperos, encinos, pinos, cedros y agaves, que su nombre quiere decir admirable).

# domesticación de especies

La diversidad de formas de vida en el volcán fue muy apreciada por los primeros pobladores, pues de las especies del volcán se alimentaban y protegían.

Con paja de zacate hacían los techos de sus casas, con madera obtenían energía, con algunas flores elaboraban su medicina y con los frutos se alimentaban. Cazaban algunos animales con puntas de obsidiana, como al venado, y otros los domesticaban para tenerlos de compañía y alimento, como el guajolote y el perro.

También domesticaron algunas plantas como el maíz y el agave. El maíz se cultivaba en suelos rojos profundos y el agave sobre suelos pedregosos llamados ceborucos.

Popocatépetl
Volcán de Fuego
Tequila

# lo celeste

En el tercer nivel, denominado lo celeste (arriba del inframundo y lo terrestre), las montañas tenían una representación muy especial.

Las altas montañas volcánicas cercanas a los lagos fueron lugares seleccionados por poblaciones de gran cultura. Los aztecas eligieron el Popocatépetl y el Iztacíhuatl como sitios sagrados.

El nevado y volcán Colima –casa del dios del fuego– fue el distintivo de la cultura de Comala. La montaña Tequila fue el eje de la tradición Teuchitlán (lugar dedicado a la divinidad).

# montaña sagrada

Los creadores de la tradición Teuchitlán alrededor del volcán Tequila, relacionaban la montaña con lo celeste y era considerada como montaña sagrada por su cima y aguja que, en algunas épocas del año, se cubren de nubes.

# culto a la montaña

La fascinación, veneración y culto a la montaña estaban presentes en las diversas manifestaciones culturales, por ejemplo, en la arquitectura de los centros ceremoniales en forma concéntrica y elevada –semejando volcanes– llamados guachimontones.

También les fascinaron algunas plantas como los árboles, porque consideraban que a través de su tronco unían el inframundo (donde están sus raíces) con lo celeste (donde desarrollan sus copas), o el agave, que fue usado como alimento, medicina y para protegerse.

## el agave, símbolo de vida

El agave fue considerado un símbolo de la vida, porque crece en lugares muy pedregosos donde pocas plantas se desarrollan, porque de una planta nacen varias plantas a su alrededor, además de la multiplicidad de su uso y la obtención de bebidas espirituosas.

Por ello, el agave está muy presente en Mesoamérica, inclusive hay una diosa del maguey llamada Mayahuel, que es la que tiene múltiples pechos para alimentar a muchos hijos.

# bebidas fermentadas

De la diversidad de agaves se obtienen bebidas como el aguamiel, el pulque, la lechuguilla, el aguardiente, el mezcal, la raicilla y, por supuesto, el tequila.

La bebida del tequila tuvo como antecedente la fermentación de mezcal (agave horneado), en particular del agave azul, domesticado en la región del volcán Tequila.

Los antiguos fermentaban muchos frutos: la piña para obtener el tepache, o el maíz para producir el tejuino.

# fermentación más destilación

Cuando llegaron los españoles, traían la tecnología de la destilación para obtener el vino.

A la fermentación del agave se incorporó la destilación, y así se obtuvo la bebida llamada vino mezcal, de la cual se originó lo que hoy conocemos como tequila, bebida resultante del encuentro de la cultura mesoamericana con la europea.

ALB-1
ALB-2
ALB-3
ALB-4

# denominación de origen

Cuando una bebida o alimento es el resultado de una combinación de clima, suelo, plantas y conocimiento local, se le da el nombre del lugar donde se originó. Por ejemplo, en México, el queso cotija es originario de Cotija, Michoacán; el queso gruyere es de un pueblito que se llama Gruyere, en Suiza. Champagne es un pueblito de Francia donde se originó la famosa bebida. El tequila es también una bebida muy conocida, originaria de una región de Jalisco y representa a México.

Cotija, Michoacán

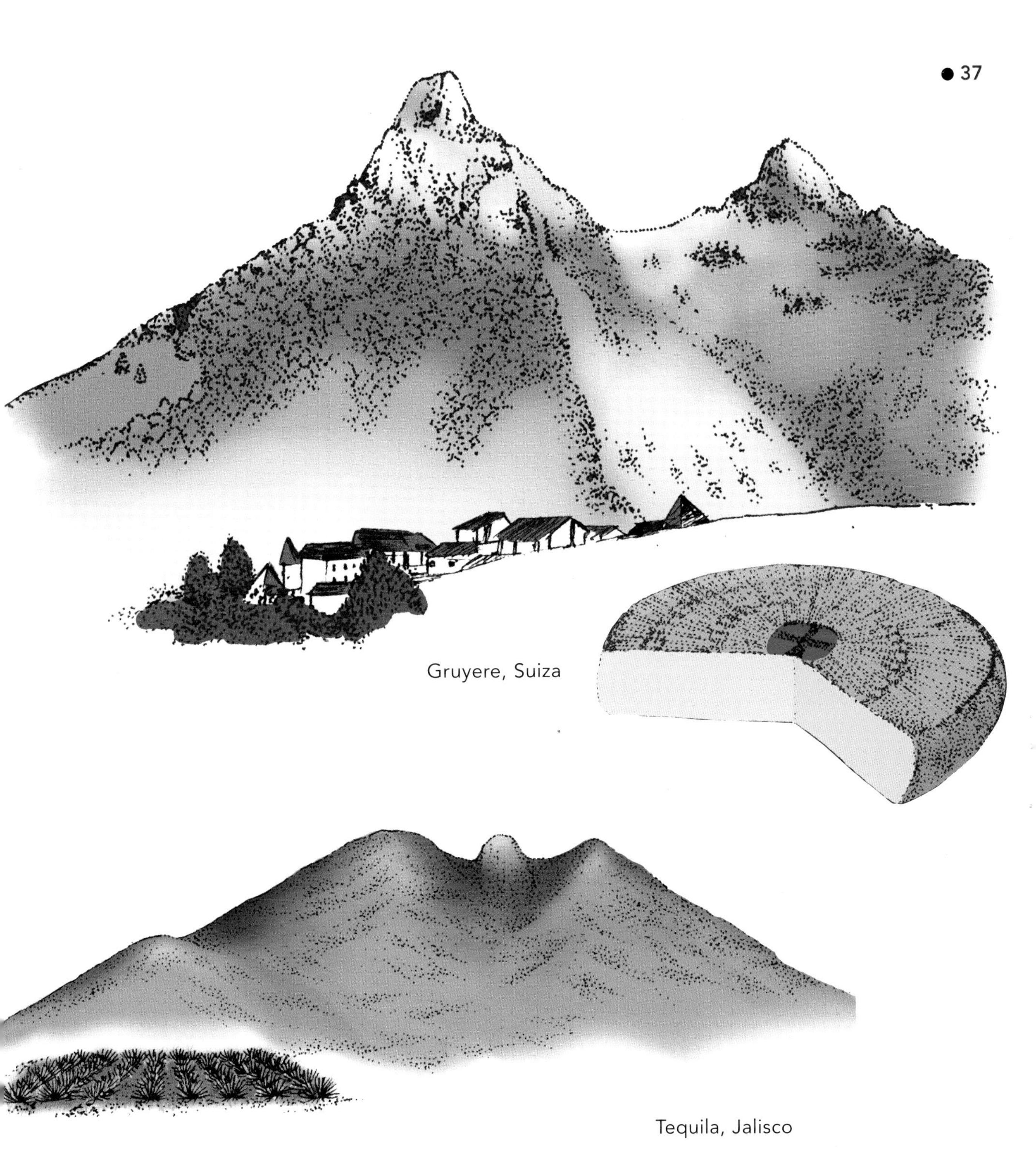

Gruyere, Suiza

Tequila, Jalisco

# encuentro del inframundo, lo terrestre y lo celeste

Tequila es la bebida que se originó en un lugar de clima tropical, suelos rojos y agaves domesticados por los antiguos pobladores alrededor del volcán.

Tequila es esa bebida que tiene nombre del volcán considerado montaña sagrada, sitio de encuentro del inframundo, lo terrestre y lo celeste.

# glosario

**agave** Planta conocida comúnmente como maguey, originaria de regiones tropicales de América. Carece de tronco, pero tiene hojas gruesas y carnosas en forma de lanza, terminadas en una punta muy dura.

**aguja volcánica** Conocida comúnmente como tetilla. Peña alta, delgada y escarpada; cima puntiaguda de una montaña volcánica. Forma rocosa alargada y aguda que surge por una chimenea volcánica.

**arcilla** Componente del suelo; es suave y mezclada con agua forma una pasta conocida comúnmente como barro, que se usa en la cerámica y en la industria de la construcción.

**bebida espirituosa** Líquido con alto contenido de alcohol que se evapora.

**biodiversidad** Variedad de organismos. Riqueza de formas vivas que existen en un territorio.

**ceboruco** Terrenos pedregosos de rocas volcánicas.

**celeste** Que pertenece al cielo. Uno de los tres niveles del mundo mesoamericano.

**cerro** Terreno elevado de no muy grande extensión, con altura entre 200 y 600 metros.

**chimenea volcánica** Conducto tubular casi siempre vertical, al interior del volcán, que conecta la cámara magmática con la superficie terrestre. Conducto por donde sale humo y gases volcánicos.

**destilación** Acción de calentar un líquido y obtener gases o vapores que se recogen en algún recipiente para condensarlos (volverlos líquidos) nuevamente.

**fermentación** Cambio químico que sufre una sustancia orgánica por la acción de una bacteria o un microorganismo, descomponiéndola en alcohol.

**dientes de sable** Felino con largos dientes caninos curvos.

**inframundo** Lugar bajo el suelo, considerado el origen por los mesoamericanos y uno de los tres niveles del mundo.

**loma** Pequeña elevación del terreno con laderas suaves, con alturas menores de 200 metros.

**magma** Masa fundida originada en las zonas profundas de la Tierra. Al enfriarse forma las rocas volcánicas.

**mamut** Especie de elefante que desapareció de la Tierra. Tenía la piel cubierta de pelo, los dientes incisivos de la mandíbula superior, curvos y largos.

**Mayahuel** Diosa del agave.

**Mesoamérica** Área cultural que comprende gran parte de México y de Centroamérica, donde habitaron grupos indígenas que formaron civilizaciones muy avanzadas.

**montaña** Elevación natural de más de 600 metros de altura.

**obsidiana** Vidrio volcánico negro o de color muy obscuro.

**terrestre** Uno de los tres niveles del mundo mesoamericano, referido como el espacio donde se vive.

**tumbas de tiro** Excavación o fosa en la que se entierran a los muertos; tienen forma de vientre materno.

**volcán** Conexión entre la cámara magmática y la superficie a través de una chimenea por donde salen gases, cenizas, lava o bombas volcánicas.